Walt Disney
La
au Bo
D0860642
Au palais du roi Stéphane,
une princesse est née.
Comme le jour se levait juste à
ce moment-là, sa mère lui a donné
le joli nom d'Aurore.
Disney
HACHETTE ÉDITION

Durant toute la journée,
les princes du monde entier
viennent saluer le bébé...

Mais les plus remarquées,
parmi les invitées,
ce sont Mesdames les fées.
Plus très jeunes mais coquettes,
elles sont trois et se nomment:
Jouvence, Sapience et Bénévole.

D'un coup de baguette magique,
chacune donne au bébé un cadeau magnifique.
Jouvence, pour commencer, lui offre la beauté.
Ensuite, Sapience lui donne une belle voix
pour chanter. Puis Bénévole s'avance...

Mais au moment précis où elle lève sa baguette, le tonnerre retentit, la lumière devient verte…

Et voici Maléfice, la terrible sorcière!
– Moi aussi, dit-elle, j'ai un cadeau à faire!
La reine, terrorisée, prend Aurore dans ses br

Maléfice lève les siens et dit de sa grosse voix:
– Avant l'âge de seize ans, votre fille se piquera au fuseau d'une quenouille, et mourra! Ha ha ha!

Mais dès qu'elle est partie, Bénévole se récrie:
– Aurore ne mourra pas, c'est mon cadeau à moi!
Puis, touchant le bébé de sa baguette magique,
elle explique: – Si un jour tu te piques,
tu dormiras, c'est tout... et tu te réveilleras
dès qu'un baiser d'amour se posera sur ta joue...

Le roi et son épouse sont un peu soulagés. Mais pour être plus sûrs, pour que la prédiction ne s'accomplisse jamais et que leur fille chérie ne puisse pas se piquer, ils font brûler tous les rouets: plus de rouets, plus de quenouilles, plus de piqûres!

– Hélas, déclarent les fées,
cela ne suffit pas. Nous devons
emporter Aurore loin du palais.
Et dès le lendemain, les voici
en chemin à travers la forêt...

Le roi et son épouse ont beaucoup de chagrin d'être ainsi séparés de leur fille bien-aimée. Mais c'est le seul moyen pour que l'affreuse sorcière ne la retrouve jamais.

Quand Maléfice apprend
qu'Aurore a disparu,
elle s'en prend à
ses gardes, d'affreux
oiseaux griffus
avec des becs crochus:
– Vous deviez surveiller
les portes du palais,
vous serez tous battus!

Puis, sa colère passée, la sorcière fait appel à son corbeau fidèle. Il est affreusement noir, malin comme un renard et capable de tout voir. Sûr qu'il aura vite fait de retrouver Aurore!

Eh bien, seize ans plus tard,
le corbeau cherche encore!
Car Aurore a grandi
dans une humble chaumière,
protégée par les fées déguisées
en fermières. Se croyant orpheline,
elle les appelle «Tantine». Même
son vrai prénom, elle ne le connaît
pas: on la nomme Eglantine...

Et c'est vrai qu'elle est belle
comme une fleur des bois!
Tout en se promenant,
elle rêve au Prince Charmant...

Et voilà justement
un bien beau cavalier
qui passe au même
moment. Mais le plus
fort c'est qu'il
se nomme Philippe
et que son père, le roi
Hubert, est le meilleur
ami du père d'Aurore!

Bien loin d'imaginer que c'est
une princesse qu'il entend chanter,
il est pourtant troublé, et tombe
à la renverse au milieu des marais!

Et lorsque, peu après,
les bêtes de la forêt
découvrent les habits
qu'il a mis à sécher,
elles disent à leur amie:

– En se cachant dessous,
on peut faire à nous
tous un jeune homme
à ton goût!
Sitôt dit, sitôt fait!

Aurore a sur-le-champ
un drôle
de Prince Charmant
qu'elle invite
à danser...

– Volontiers! lui répond une voix.
Mais qui donc a parlé? Aurore n'a pas le temps de se le demander...

Deux mains saisissent les siennes
et la font tournoyer:
son rêve est devenu réalité!

Pendant ce temps,
dans la chaumière,
les fées, ressortant
leurs baguettes,
ont fabriqué,
à leur manière...

... une très belle robe de fête et un gâteau d'anniversaire. Car c'est demain qu'Aurore aura seize ans, l'âge de savoir qui elle est réellement, et qui sont ses parents...

En découvrant cela à son retour des bois, Aurore n'en revient pas. – Moi aussi, dit-elle, j'ai une très bonne nouvelle: un jeune homme merveilleux m'a demandé ma main! Je dois le revoir dès demain!

— Hélas, c'est impossible, lui répondent
les trois fées: demain, tu seras loin.
Car tu dois retourner auprès de tes parents:
chez ton papa, le roi, et la reine, ta maman!
Et le lendemain matin, elles se mettent en chemin.

Elles arrivent au palais, une fois la nuit tombée. Aurore entre en premier. Elle devrait se méfier...

... car Maléfice l'attend avec un grand rouet. A peine est-elle entrée qu'elle se pique au fuseau et s'effondre aussitôt!

Quand les fées,
peu après,
la retrouvent endormie,
elles s'écrient:
– La prédiction
s'est accomplie!

– Si le roi s'en rend
compte, ce sera
la panique. Endormons
tout le monde à coups
de baguettes magiques!

C'est plus facile
à faire
qu'avec un somnifère.
En un instant,
valets et courtisans
dorment profondément.

Puis c'est au tour du roi Hubert. Il parlait justement de son fils à Stéphane. Les fées, en l'entendant, comprennent immédiatement:
– Le Prince Charmant d'Aurore, c'était Philippe, tout simplement! Lui seul peut la sauver, courons vite le chercher!

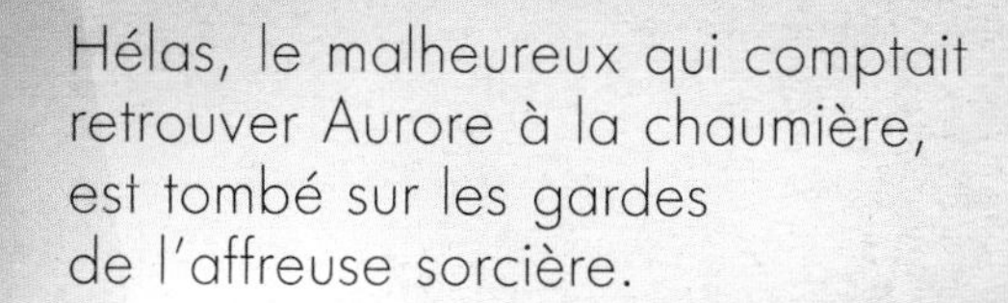

Hélas, le malheureux qui comptait retrouver Aurore à la chaumière, est tombé sur les gardes de l'affreuse sorcière.

– Tu es mon prisonnier! hurle cette vipère. Là où l'on va t'emmener, finie la liberté!

Au Château des Ténèbres, Philippe est enfermé. Mais les fées sont rusées. Elles le retrouvent sans peine et font sauter ses chaînes.

Un deuxième coup de baguette, et le voilà pourvu d'une épée bien pointue! Quant au lourd bouclier que fait surgir Sapience, même une armée de lances ne pourrait le percer!

Philippe fuit au galop
dans la forêt épaisse
qui entoure le château.
Les ronces, autour
de lui, se redressent
aussitôt, pareilles
à des serpents!

Tant pis, il fonce dedans…
et se retrouve devant
un dragon fou furieux
qui hurle et crache du feu!

Cette terrible bête porte,
comme Maléfice, deux cornes
sur la tête, et ses énormes dents
pourraient manger vivant
un troupeau d'éléphants.
Philippe se rue sur elle, son épée
en avant! Mais au même moment...

... elle crache
comme un volcan!
Le cheval, effrayé,
se cabre en hennissant!

Philippe, désarçonné, se retrouve
sur ses pieds. Il court se réfugier
au sommet d'un rocher.
Et là, de toutes ses forces,
il envoie son épée...

Hourra!
Il est vainqueur!
Le dragon,
stupéfait,
l'a reçue
en plein cœur!

– Au palais de Stéphane! crie Philippe au cheval.
Et celui-ci s'élance comme s'il avait des ailes.
Le garçon est aux anges: il va revoir sa belle!
A l'entrée du palais, il hésite un instant...
mais la seconde d'après, guidé par les trois fées,
il trouve celle qu'il cherchait!

Tendrement, il se penche et pose sur sa joue le baiser le plus doux. Le miracle attendu se produit aussitôt: Aurore ouvre les yeux et, pas surprise du tout, murmure tout simplement:

– Merci d'être venu à notre rendez-vous!

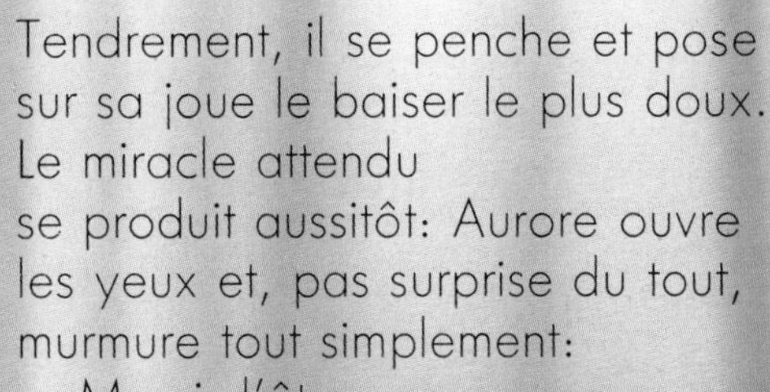

Quelques minutes après,
tout le monde croit
rêver en voyant
la princesse et
son Prince Charmant
faire leur apparition
au milieu du salon...

Les plus heureux
de tous, ce sont
le roi Stéphane et
la reine, son épouse.
Cela fait tant
d'années qu'ils
étaient séparés de
leur fille adorée!

Le lendemain, au palais,
un grand bal est donné pour fêter
l'événement. Les fées sont
de la fête, évidemment...

Or elles sont déchaînées, peut-être
un peu pompettes… et ne peuvent
s'empêcher de jouer de la baguette!

Ainsi furent réunis les royaumes de Stéphane et d'Hubert, son ami. Ainsi eurent-ils tous deux plein de petits-enfants. Heureux petits-enfants dont les marraines se nomment: Jouvence, Sapience et Bénévole. Sûr que, pour les cadeaux, ces petits polissons auront tout ce qu'il faut!